D

Pour ...Robert.. Petit..

Légende

ça te Ressemble énormément

ça te Ressemble beaucoup

ça te Ressemble

Vous pouvez utiliser cet espace et le même à la fin du livre pour y mettre un dessin ou une photo de vous, de votre classe ou de votre professeur.

Autres livres de la collection "Les Livres-à-aimer"

©Editions Exley SA, 2003

13, rue de Genval • BE 1301 BIERGES

Tél + 32 2 654 05 02 • Exley@interweb.be

©Helen Exley 1996 • Juliette Clarke • Tous droits réservés • Imprimé en Chine

4 6 8 10 12 11 9 7 5 3

ISBN 2-87388-269-7   Dépôt légal D/7003/2003/16

Pour un(e) Prof *Extraordinaire*

Merci de faire de l'école
un endroit où nous adorons
nous rendre le matin.

UN LIVRE-CADEAU HELEN EXLEY

TEXTES DE PAM BROWN
AQUARELLES DE JULIETTE CLARKE

EXLEY
PARIS · LONDRES

MERCI POUR TOUT

Avec vous, étudier n'est plus une charge
mais une joie.
Vous m'avez aidé à me sentir capable.
Vous m'avez fait découvrir ce que je fais
le mieux, et que je peux le faire mieux encore.
Merci d'avoir ôté ma crainte des choses que
je ne comprenais pas en me persuadant que
je les comprenais tout de même.
Merci d'avoir dénoué des nœuds.
Merci d'être quelqu'un en qui je peux
toujours avoir confiance et vers qui me tourner
quand la vie devient difficile.

...

Certains professeurs font de la réussite
des examens et de l'obtention de bons diplômes
la seule raison d'étudier.
Merci de m'avoir prouvé que le travail scolaire
peut aussi être amusant et même passionnant !

...

Merci de m'avoir persuadé que j'étais meilleur
que ce que je le pensais.

...

Merci de n'avoir jamais vu mes fautes comme
des échecs, mais comme des moyens
d'apprendre à les dépasser.

...

Il doit être difficile, quand on est instruit
comme vous, d'être un peu lent.
Merci de nous avoir compris et donné tout le
temps, la patience et l'attention nécessaire.

...

Vous ne nous donnez jamais l'impression de vouloir nous remplir la tête de données bien établies. Au lieu de cela, vous nous accompagnez dans des voyages pleins de découvertes.

...

DES PORTES QUI S'OUVRENT

Vous nous avez appris à avoir des aventures dans la tête, à explorer et à découvrir, à vivre plein d'émerveillements.

...

Les bons professeurs réussissent à persuader leurs élèves que l'apprentissage n'est pas une dure contrainte ou un vol de leur liberté, mais du bonheur et la clé vers une liberté bien plus grande encore que tout ce qu'ils ont jamais connu.

...

Quand vous nous parlez des sages,
des saints, des savants, des penseurs,
des inventeurs et des rêveurs – ceux qui
changent le monde – vous nous rappelez
toujours qu'ils furent eux aussi des enfants
ayant tout à apprendre.
Cela nous donne le cœur d'essayer.

...

Une classe et un prof qui viennent
de résoudre un problème difficile
se contemplent avec délice.
L'air vibre de félicités inaudibles.

...

Un(e) prof prend les petites choses
de la vie que tout enfant connaît bien
et les transforme en marches solides vers
la connaissance et la croissance.

...

Une classe, qui s'excite sur un problème,
une expérience ou une découverte,
pétille comme un feu d'artifice et se perd
dans les étoiles.

...

CE QUE GENTILLESSE VEUT DIRE

Les détails de ce que vous nous avez
appris seront un jour oubliés,
mais le souvenir de votre enthousiasme,
de vos encouragements et de votre
gentillesse resteront toujours!

...

Merci de n'avoir jamais été sarcastique,
car cela paralyse et effraie un enfant.

...

Un bon prof confie les tâches les plus
chouettes – comme nourrir les têtards
ou arroser les plantes – à la personne
la plus triste.

Un bon prof se souvient qu'il a été petit
lui aussi et comprend les bouderies
et les colères aussi bien que l'excitation
et la joie de ses élèves.

...

Un bon prof devine quand tu es très
triste, même si tu ne dis rien.
Et te fais comprendre que tu peux tout
lui raconter. Si tu veux…

...

Si un prof se soucie réellement de
sa classe, cela se sent et rend heureux
tout le monde.

DES LEÇONS DE VIE

"Devenez bon en tout, vous en aimerez d'autant plus la vie". C'est ce que vous disiez. Et c'est vrai!

...

Grâce à un bon prof, on peut réussir sa vie, celle d'aujourd'hui, celle de demain, celle de toujours, car il nous fait expérimenter que nous pouvons faire quelque chose de nos vies, quelles que soient les difficultés du moment.

...

Les gens blessent souvent d'autres personnes parce qu'ils ne se rendent pas compte de l'effet que cela fait. Vous nous avez expliqué ce que ressentent exactement les autres.

...

Merci de nous avoir dit qu'on peut apprendre de
ses erreurs, découvrir ses forces dans
l'adversité, trouver l'amour et la gentillesse
dans les jours sombres. Merci de nous avoir donné
le courage d'utiliser notre esprit aussi bien et aussi
honnêtement qu'il est possible… et de
n'avoir jamais eu peur de poser une question.
Merci de nous avoir expliqué comment rester
ferme dans nos convictions… même si nous
tremblons dans nos petits souliers.

…

Vous nous avez montré qu'il était parfaitement
normal d'être ordinaire, et que d'ailleurs
les personnes ordinaires ne le sont en réalité pas.
Nous avons tous un talent particulier.
Et surtout nous sommes tous particulièrement
précieux aux yeux de ceux que nous aimons.
Et puis, si tu n'as pas envie d'être ordinaire,
ne le sois pas. Qui sait ce qu'il adviendra
de magnifique si tu suis, de tout ton cœur
et avec courage, ton propre rêve,
ta "légende personnelle"?

…

UNE CLASSE COMME UNE OASIS

Quel que soit le chaos qui régnait
dans les couloirs, nous savions que nous
trouverions de l'ordre, de la justice
et la possibilité d'apprendre quelque
chose dans notre classe.
Et de la tolérance.
Et de la bonne humeur.
Et de la motivation.

...

Une salle de classe peut être juste
la prolongation d'un environnement
désagréable ou … une oasis de paix.

…

Des images de violence, de colère
et de cupidité nous entourent.
Elles frappent à la porte. Mais ici, nous
sommes en sécurité. Dans ce petit espace
confiné, nous apprenons à nous apprécier
mutuellement, à réfléchir, à nous émerveiller,
à trouver la paix et à créer. Vous retenez
la laideur et la cupidité du monde loin de
nous et suffisamment longtemps pour nous
permettre de rassembler nos forces et nous
dresser un jour contre elles.
Vous nous montrez la valeur de la gentillesse,
le pouvoir de la patience, du courage,
de la non-violence. Vous nous donnez
le goût de vivre.

…

HEUREUX, STUDIEUX, SOIGNEUX

Un lundi, vous avez dit: "A présent j'ai compris.
Tu as très bien expliqué!".
Un mardi, vous avez dit: "Grands dieux,
c'est magnifique! Comment as-tu réussi
à avoir ce bel effet lumineux …?"
Un mercredi, vous avez dit: "Pourrais-tu
me faire une copie de ton poème afin que
je puisse le garder?"
Un jeudi, vous avez dit: "Viens devant et
montre ton travail à la classe."
Un vendredi, vous avez dit: "Merci, c'était
très, très gentil".
Et de la sorte, vous avez donné à cinq enfants
des cadeaux qui dureront toute leur vie.

…

Il y a une sorte de bonne vibration dans
une classe heureuse qui avance bien.
C'est ce qu'on trouve dans la nôtre.

…

Vous ne nous avez jamais mis devant un mur
ou une falaise impossible à gravir, ni en
géographie, ni en histoire, ni en informatique,
ni en algèbre, ni en poésie. Vous nous avez
montré patiemment les prises pour les mains
et les pieds. Vous nous avez guidés tout en nous
faisant nous sentir en parfaite sécurité.
Et quand nous sommes arrivés enfin au sommet,
tous ensemble, nous nous sommes réjouis de
la vue et de la victoire acquises.

...

Vous m'avez mis la beauté à portée de main.
Et ce n'était que le début. Vous m'avez, en tant
que mon professeur, donné les mots, les images
et les idées nécessaires pour construire ma vie.
Quoi que je bâtisse, vous m'avez aidé à en poser
les fondations !

...

J'AIME LES ENSEIGNANT(E)S …

… qui écrivent lisiblement au tableau, qui l'admettent quand elles ont fait une erreur, qui racontent les histoires avec plein de voix différentes, qui ne s'offusquent pas si on chante faux - pour autant qu'on aime chanter -, qui sourient beaucoup, qui préfèrent être une personne comme les autres plutôt que tout le temps autoritaire et sévère, et qui ont des petites phrases bien à elles comme "Je voudrais un grand silence bleu foncé à présent s'il vous plaît" ou "Tout ce que je veux entendre est le bruit du crayon sur le papier!".

…

J'aime les profs qui devinent quand
je ne comprends pas et expliquent
les choses clairement. J'aime qu'ils voient
quand je lève la main, qu'ils écoutent
silencieusement mes problèmes et
n'oublient pas quand c'est mon tour de
nourrir le hamster. J'aime qu'ils sourient
quand j'ai fait un énorme effort, qu'ils
sifflent et applaudissent quand notre pièce
de théâtre est finie, qu'ils nous racontent
des choses intéressantes et nous donnent
de chouettes travaux à faire.

...

J'aime les profs que cela ne dérange pas
de répéter leurs explications encore.
Et encore. Et encore.

...

Certaines personnes font des cauchemars avec des crocodiles ou des labyrinthes démoniaques. Pour les mauvais profs, c'est avec les parents !

...

PLAIGNONS LES MAUVAIS PROFS !

Les mots qui glacent le cœur des mauvais profs :
"Mon papa dit que ..."
"Madame, Julie a avalé un bouton ..."
"Monsieur, mon bras est plein de taches ..."
"Ma grand-mère veut vous rencontrer au sujet
des livres qu'on doit lire."
"Madame, on ne devait pas être punis
à cette leçon ?"

...

Les bons profs se réveillent la nuit en sueur
et affolés, non pas à cause d'un cauchemar de
loups qui les poursuivent, mais parce qu'ils rêvent
qu'ils ont oublié dans le bus toutes leurs
préparations pour l'école.

...

On attend des profs qu'ils puissent s'occuper
facilement d'enfants qui ont vaincu leurs deux
parents, un docteur, un ou deux psychiatres et
une foule de gens des services sociaux; on leur
dit simplement que tout ce dont ces enfants ont
besoin est d'un environnement scolaire normal.

...

Un professeur a un talent incroyable pour
prendre soin des boutons, échardes, fièvres,
écorchures et autres bobos bien pires.
Et pour sourire de façon rassurante.

...

Un bon prof n'est pas trop fâché lorsque
quelqu'un apporte un serpent domestiqué
comme sujet d'exposé.

...

UN(E) CHOUETTE INSTIT…

… peut changer le monde.

…

Elle remarque quand un enfant fait tout ce qu'il peut, même si les résultats sont minces. Et montre qu'elle a vu une amélioration.

…

Elle fait en sorte que tout le monde ait l'occasion de faire les corvées intéressantes – ainsi que celles qui le sont moins.

…

Les grandes carrières peuvent souvent s'expliquer par l'influence d'un seul bon professeur.

…

Un bon prof sait qu'un mot de louange peut
apporter du soleil au jour le plus gris.

...

Un bon prof peut regarder une page écrite
en dépit du bon sens et tout de même
comprendre ce que tu essaies de dire.
Elle ne la réécrit pas. Elle secoue un
peu tout et tout trouve sa place.

...

Un bon prof est aussi content que toi
quand, enfin, tu réussis!

...

SANS CESSE VOUS GUIDEZ ET ENCOURAGEZ

Un bon prof ne siffle pas pour qu'on
le suive, ni ne pousse par derrière.
Un bon prof marche
à tes côtés, te laisse explorer, inventer,
créer, questionner, expliquer.
Avec une main prête
à secourir quand le chemin
est rocailleux, mais seulement
si tu es vraiment coincé.
Un bon prof dit "regarde", "réfléchis",
"essaie". "Que se passerait-il si … ?",
"Montre-moi comment tu ferais".

…

Tout a un début.
Si on ne lui a pas montré
et expliqué dès le départ comment
faire quelque chose, un enfant
peut paraître stupide.
Vous savez cela et puis vous nous faites
avancer pas à pas, à notre rythme;
pas question de marche forcée.
Si certains d'entre nous
découvrons que nous pouvons avancer
à grands bonds, vous êtes ravie.
Et si certains traînent
un peu en chemin, mais sans perdre courage,
cela vous donne autant de satisfaction.

...

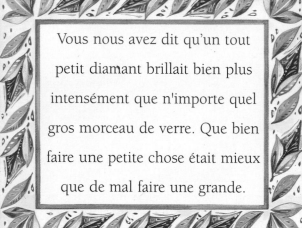

Vous nous avez dit qu'un tout petit diamant brillait bien plus intensément que n'importe quel gros morceau de verre. Que bien faire une petite chose était mieux que de mal faire une grande.

DES VALEURS POUR LA VIE

La chose la plus importante que vous nous ayez apprise est que nous avons besoin les uns des autres.

...

Vous nous avez aussi enseigné que l'excellence n'est pas facile à atteindre, qu'elle exige de travailler durement. A chacun de décider ce qu'il est prêt à payer.

Avec vous, j'ai appris que je peux faire quelque chose seul, mais qu'avec d'autres je peux faire encore beaucoup plus.

...

J'ai appris à apprécier les différences entre les gens plutôt qu'à les craindre.

...

J'ai appris que si nous voulons vraiment faire quelque chose et que nous nous y investissons et que nous y devenons bons – alors il importait peu de devenir célèbre ou non.

...

J'ai appris que les grands savants et les grands artistes faisaient et font encore des erreurs et qu'ils se trompaient en rougissant parfois!

...

J'ai appris que la vie pouvait être fine et plate comme une feuille de papier ou aussi profonde que l'océan et aussi immense que le ciel.
Le choix nous appartient.

...

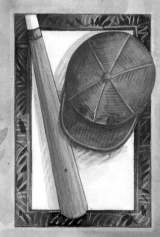

JE ME SOUVIENDRAI ...

... que vous aviez une façon bien personnelle
de prendre les événements de la vie.
Notre classe ne vous oubliera jamais.
Moi non plus !

...

Aller à l'école est assez banal et anodin au
regard du monde, mais pas pour les professeurs
qui font tout ce qu'ils peuvent pour nous aider
à nous y retrouver. Ils essaient, font de leur
mieux, et mieux que de leur mieux.
Et nous, enfin libres et avides d'en sortir, nous
disons "au revoir" avec une gentille arrogance,
et nous en allons. Sans nous douter que vous
ferez partie de nous à jamais.

...

*On se souvient de ses professeurs plus pour ce
qu'ils étaient, que pour ce qu'ils nous ont appris.*

...

*Vous resterez toujours en ma mémoire.
Toujours.*

...